AF125540

**Jede Menge Flötentöne!**

Barbara Ertl

# Vorhang auf! Band 2

Spielstücke für **Sopranblockflöte** und Klavier

# Vorwort

Musizieren macht Spaß – zusammen musizieren noch mehr!

Die vorliegende Sammlung von Melodien aus vielen europäischen Ländern und Spielstücken alter Meister möchte dazu beitragen, diese Erfahrung zu machen.

Im vorliegenden Band 2 sind die spieltechnischen und musikalischen Anforderungen an den Spieler gestiegen, Tonvorrat und Umfang der Stücke haben sich erweitert. Nach wie vor eignen sich die gut verständlichen und eingängigen Melodien mit ansprechender Klavierbegleitung bestens für das gemeinsame Musizieren, ob im Unterricht, zu Hause oder auf der Bühne.

Die Akkordbezeichnungen im Notentext ermöglichen auch eine Begleitung mit der Gitarre oder anderen Instrumenten.

Barbara Ertl

Die Flötenstimme ist unter der Bestellnummer VHR 3626-S auch einzeln erhältlich.

Impressum
© 2012 by Musikverlag Holzschuh, Manching
VHR 3626 / ISMN 979-0-2013-0459-5 / ISBN 978-3-920470-94-8

Klavierbegleitung: Michael Stöckl
Notensatz: Regina Krauß, Speyer
Umschlag: Gerhard Illig Kommunikation GmbH, Erlangen

# Inhalt

# 1. Contretanz

aus England

# 2. The Lucky Seven

aus England

5

# 3. Galopede

aus England

*D.C. al Fine senza rep.*

# 4. Lo Ahavti dai

aus Israel

# 5. Ceresnicky

aus der Slowakei
Bearb.: Barbara Ertl

# 6. Flic Flac

Barbara Ertl

# 7. Winterwind

Barbara Ertl

# 8. Air

James Peasable
Bearb.: Barbara Ertl

# 9. Carillon

Georg Philipp Telemann

18

# 10. Cercle Cercassien

aus dem Piemont

# 11. Uirapuru

Barbara Ertl

# 12. Bourrée

Johann Christoph Petz

# 13. La Bastringue

aus Kanada
Bearb.: Barbara Ertl

# 14. Valse coupée

aus dem Elsass

# 15. Trifacher

Barbara Ertl

Barbara Ertl

# Vorhang auf! ②

## Sopranblockflöte

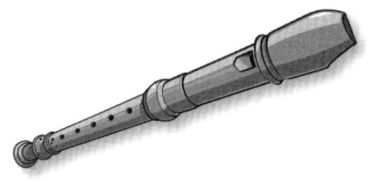

HOLZSCHUH

# 1. Contretanz

aus England

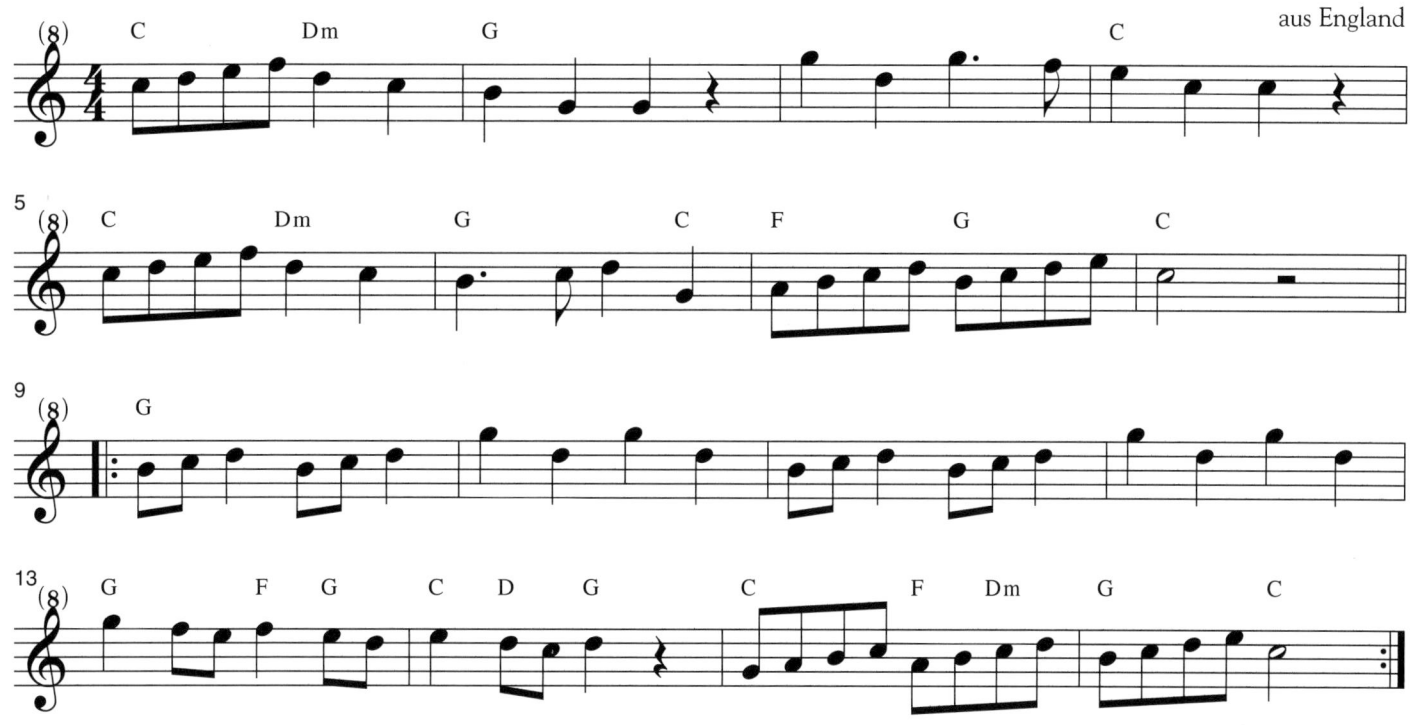

# 2. The Lucky Seven

aus England

3

# 3. Galopede

aus England

*Fine*

*D.C. al Fine senza rep.*

# 4. Lo Ahavti dai

aus Israel

# 5. Ceresnicky

aus der Slowakei
Bearb.: Barbara Ertl

# 6. Flic Flac

Barbara Ertl

# 7. Winterwind

Barbara Ertl

8

# 8. Air

James Peasable
Bearb.: Barbara Ertl

# 9. Carillon

Georg Philipp Telemann

# 10. Cercle Cercassien

aus dem Piemont

11

# 11. Uirapuru

Barbara Ertl

# 12. Bourrée

Johann Christoph Petz

# 13. La Bastringue

aus Kanada
Bearb.: Barbara Ertl

*Fine*

*D.C. al Fine senza rep.*

# 14. Valse coupée

aus dem Elsass

14

D.C. al Fine

# 15. Trifacher

Barbara Ertl